ZOMAAR VOOR JOU

Soms kan een woord
een wonder doen,
een goede gedachte
een mens genezen

Phil Bosmans

Zomaar voor jou

Vrede en alle goeds

lannoo

Omslagontwerp Cis Verhamme
Omslagfoto Leopold Havenith
Tekeningen Bert Pieters
Achtste druk - 123ste duizendtal
Gezet, gedrukt en gebonden bij
Drukkerij-Uitgeverij Lannoo nv, Tielt - 1989
© Uitgeverij Lannoo, Tielt
Printed in Belgium
D/1989/45/80 - ISBN 90 209 1401 4 (7de bijdruk) - UGI 556

INHOUD

WOORD VOORAF

In de boeken van Phil Bosmans hebben velen gevonden wat mensen in 't leven zoeken: een beetje vreugde, een handvol geluk en een weg naar vrede en vriendschap. Heel dikwijls werd de wens uitgedrukt een bloemlezing te maken van de beste teksten uit de reeds verschenen en rijk geïllustreerde boeken. Men wilde een zakformaat, gemakkelijk mee te nemen.

Dit boek wil aan deze wens tegemoetkomen. Naast de vele teksten uit de reeds verschenen boeken zijn er een 45-tal nog niet gepubliceerde gedachten en beschouwingen van Phil Bosmans opgenomen.

Dit is geen boek om in één ruk uit te lezen. Dat wist je al. Het is met deze tweehonderd korte uitspraken als met vitaminen: elke overdosis is onzinnig en maakt ze smakeloos. Deze vitaminen voor het hart zijn slechts werkzaam en genietbaar als ze op het juiste moment langzaam en met tussenpozen een voor een worden ingenomen.

Wat Phil Bosmans te vertellen heeft, is niet aan een schrijftafel gegroeid. Het is het resultaat van een jarenlange omgang met mensen aan de rand van de samenleving, met mensen in nood, met wanhopige mensen, maar ook met tevreden en gelukkige mensen. Het is een soort levensfilosofie.

Met deze eenvoudige praktische uitgave willen we mensen helpen de verloren moed terug te vinden. Wij willen hen een sleutel aanreiken om in het dagdagelijkse leven een beetje gelukkig te zijn.

,,Goede en gelukkige dagen komen meestal terug als je maar de sleutel op zak hebt'' zegt Phil Bosmans.

Reeds meer dan 25 jaar is hij verantwoordelijk voor Bond Zonder Naam in Antwerpen. Een beweging die zonder te vragen naar geloof, beroep of herkomst zich inzet voor betere menselijke verhoudingen en thans afdelingen heeft tot ver over de grenzen.

Zijn boeken 'Menslief, ik hou van je', 'Bloemen van geluk moet je zelf planten', 'In liefde weer mens worden' en 'Ja! Alleen de optimisten zullen overleven' werden in vele talen vertaald en bereikten ongekend hoge oplagen, in Duitsland alleen al meer dan 2 miljoen exemplaren.

De uitgever

I

Mens, ik heb je graag

Zoek de mens achter ieder gezicht.

Mensen gaarne zien, dat is: mensen je glimlach geven, je vriendelijk gezicht, in dagen van vreugde... je hand en je hart, in uren van nood... je steun en je troost.
Mensen gaarne zien dat is je ontdoen van zelfgenoegzaamheid en in je hart ruimte scheppen!
Mensen hebben nood aan mensen! Zuiver je ogen en zuiver je hart.

Mensen gaarne zien
da's m'n hobby!

Ik word hoe langer hoe meer geboeid door de mensen.
Het is een dagelijks avontuur, wanneer je er echt mee omgaat, welwillend en vol overgave. Een avontuur, wanneer je verwonderd kunt zijn, niet alleen over dat lichaam dat je kunt zien en aanraken, maar vooral over het ondoorgrondelijke mysterie, dat je in zo'n wondere verpakking zeer nabij komt en tegelijkertijd toch oneindig ver weg en onbereikbaar blijft. Zeker, er zijn mensen met glazen gezichten,

11

waar je dwars doorheen kunt kijken en mensen zonder gezicht, die je voorbijhollen, alsof ze aangezogen worden door een geheimzinnige macht, die hen geen rust meer laat. Mensen, schijnbaar zonder geschiedenis. Ik begrijp er niets van... van de mensen. En toch hou ik er van en kan ik ze niet missen. De mensen, die mij nodig hebben en de mensen die ik nodig heb.

Mensen met vragende ogen, met gespannen gezichten. Mensen die lijden. Mensen, die wanhopig zijn, die verbitterd zijn tot in het merg van hun beenderen. Mensen, die niet meer in staat zijn van wat ook te genieten. Mensen, die niet meer leven. Je probeert ze te helpen, los te maken uit hun eigen enge gevangenis.

En dan zijn er nog de mensen, die je doen nadenken, de mensen, die je doen lachen, de mensen die blij zijn je te zien en het ook zeggen. En de vele goede eenvoudige mensen met een verborgen onbegrijpelijke rijkdom in hun hart. Het is zo dikwijls een feest onder de mensen te zijn!

Als je goed van me denkt
word ik beter.

Niemand is zo slecht als in zijn slechtste momenten. Niemand is zo goed als in zijn beste momenten! Het gevaar bestaat dat je een mens levenslang taxeert naar een begane fout. Mensen worden meestal vastgespijkerd op hun verkeerde houding en daden. En toch: Een slechte eigenschap is nog geen slechte mens. Een slechte dag is nog geen slecht leven.

Als je kwaad denkt zul je kwaad doen, stoot je af en maak je mensen slecht. Als je goed denkt ga je de ander waarderen en zeg je: ,,Je mag er zijn, je bent de moeite waard!''

Met goede mensen wordt alles weer goed.
Goede mensen zijn een zegen voor deze wereld.
Een goed mens ben je,
als je geeft zonder aan jezelf te denken,
zonder je af te vragen of het iets uithaalt
en zonder op dank te wachten.

Mens: je bent niet gemaakt voor de industrie, voor de produktie, de bankrekening en de superbazaar. Je bent gemaakt om 'mens' te zijn! Je bent geschapen voor het licht, voor de vreugde, om te lachen en te zingen, om te leven in liefde en voor het geluk van je medemens.

Mens: je bent geschapen naar het beeld van een God die liefde is. Met handen om te geven, een hart om lief te hebben en twee armen juist lang genoeg om een ander te omhelzen!

Ik geloof in de goedheid van de mensen,
zoals ik geloof in de lente,
als ik de katjes zie bloeien!

Engelen zijn mensen, die doorschijnend zijn. Het zijn mensen die 'licht' doorgeven. Waar ze zijn wordt alles helder en klaar. Het zijn mensen vol leven, die wat dood is tot leven brengen.

Engelen zijn mensen, die een soort oorspronkelijke vreugde uit het paradijs hebben meegekregen. Geloof me engelen zijn wezens van vlees en bloed, die op een onzichtbare wijze de wereld recht houden. Diep in hen voel je iets van het mysterie van een ondoorgrondelijke goedheid, die door alles heen naar de mensen toewil. In hen wordt een liefde tastbaar, die je zomaar omarmen wil. Ik voel God in deze mensen tot me komen met zijn tederheid, en zijn bezorgdheid.

14

Je bent met iets bezig. Je komt niet klaar. En langs een onzichtbare antenne krijgt ergens iemand een ingeving, een soort bevel om je te benaderen en je te helpen, je een steun te zijn, je een duw te geven of om je te troosten.

,,Je bent een engel" zeg je dan. Je zegt het tegen een man, een vrouw, een jongen, een meisje. Geslacht en leeftijd spelen geen rol! Er komt iets goeds, iets heerlijks over je! Het leven wordt licht en alle pijn is weg!

Maar engelen kun je niet krijgen op bestelling. Ze komen dikwijls heel onverwacht, zijn soms onopvallend aanwezig, wijzen je de weg en verdwijnen weer! Ik heb al heel wat engelen ontmoet! Soms kwamen ze uit de massa getreden, doken op uit de straat, gaven je een hand en losten je probleem op en verdwenen weer in de straat en in de massa. Naamloos, zonder te wachten op dank!

Er zijn nog engelen in de wereld! Maar er zijn te weinig engelen, daarom is er nog zoveel duisternis en zoveel ellende! God is op zoek naar engelen onder de mensen van nu. Maar teveel mensen zien hem niet meer, horen hem niet meer.

Ze hebben hun eigen antenne gestoord of afgebroken! Ze vangen niets meer op en geven niets meer door!

Kom, je bent een engel en er zijn in je eigen omgeving mensen genoeg voor wie je een engel kunt zijn!

God heeft ieder mens iets gegeven
waarmee hij anderen gelukkig kan maken.

Ik loop op straat en ik zie geen linkse mensen, ik zie geen rechtse mensen. Alleen maar 'mensen'.
Ik wring me in de spitsuren op trein, tram en autobus en ik zie geen linkse mensen, ik zie geen rechtse mensen, alleen maar mensen, haastige mensen!
Ik loop rond in klinieken en hospitalen en ik zie geen linkse mensen, ik zie geen rechtse mensen, alleen maar mensen, zieke mensen, mensen met pijn!
Waarom de mensen verdelen? Waarom ze een kleur geven, hun een etiket opplakken? Waarom ze verdelen in goede en kwade, in gele en rode, in linkse en rechtse mensen? Waarom?

Hou van de mensen zoals ze zijn:
er bestaan geen anderen.

Leven is 'leven met anderen'! 'Leven met anderen' is leven met hen, met wie ik alles moet delen. Die ik moet aanvaarden, die ik geen pijn mag doen, die ik moet liefhebben.

Zonder anderen is leven, liefhebben en gelukkig zijn een utopie! We zijn door ontelbare banden met elkaar verbonden. Ik kom pas tot ontplooiing, dank zij de anderen. Ik heb de anderen nodig... niet alleen omdat zij zoveel voor mij doen maar ook omdat ik zoveel voor die anderen kan betekenen.

Ik heb ogen en oren om de anderen te ontdekken, voeten om naar hen toe te gaan, handen om te geven en te helpen en een hart om lief te hebben.

'Menslief, ik hou van je'. Zeg het voort met of zonder woorden. Zeg het met een glimlach, met een gebaar van verzoening, met een handdruk, met een woord van waardering, met een klop op de schouder, met een spontane omhelzing, met een kus, met een ster in je ogen! Zeg het voort met duizend kleine attenties, elke dag opnieuw! 'Menslief, ik hou van je'

Alleen een gelukkig mens
kan anderen gelukkig maken!

M'n ogen zijn voor het licht,
voor het groen van de lente, voor het wit van de
sneeuw,
voor het grijs van de wolken en voor het blauw van
de lucht,
voor de sterren in de nacht
en voor het ongelooflijk wonder van zoveel wondere mensen
om me heen.
M'n mond is voor het woord,
voor elk goed woord
waar een ander op wacht.
M'n lippen zijn voor een zoen
en m'n handen voor de zachtheid, de tederheid,
voor de troost en voor het brood aan de arme.
M'n voeten zijn voor de weg,
die naar de berooiden gaat.
M'n hart is voor de liefde, voor de warmte,
voor hen die in de kou en in de verlatenheid zijn.
M'n lichaam is om anderen nabij te zijn.
Zonder lichaam ben ik nergens.
Niets is zonder zin!
Alles heeft zijn diepe betekenis!
Waarom ben ik dan niet gelukkig?
Zijn m'n ogen toe?
Is m'n mond vol bitterheid?
Zijn m'n handen 'grijpers' of is m'n hart verdord?

Weet ik dan niet
dat ik gemaakt ben voor de vreugde?

*De beste zon is
'je blij gezicht'!*

Hoe komt het dat sommige mensen zuur zitten te kijken in de zon en dat anderen kunnen fluiten in de regen? Hoe komt het, dat er mensen zijn, die, als ze hun ogen open doen altijd iets verkeerds zien?
Dat komt omdat ze verkeerd denken over de zin van het leven en van de dingen!
Ze hebben God nodig, niet als een onpersoonlijk wazig wezen, ergens in de verte, maar als een persoonlijke vriend, als een vader, heel dichtbij. In een intieme omgang met God krijgen de mensen andere ogen voor de dingen en elke morgen een nieuw hart.

*Een mens kan maar op aarde ten volle leven
als hij in hoofd en hart
een stukje hemel heeft.*

Wat kinderen aanraken krijgt een fris en natuurlijk uitzicht vol kleur en warmte. Grote mensen snappen er niets van. Die zijn nu eenmaal zo. Die praten over 'verdienen' en maken zich altijd maar zorgen over geld. ,,Daarom moeten kinderen veel geduld hebben met grote mensen'', zegt de kleine prins.

Juichen om een kind
is juichen om het leven!

Vele oude mensen zijn 'schatten' van mensen! Je moet ze weten te ontdekken en ze moeten de kans krijgen zich te uiten en mee te leven! Maak tijd voor oude mensen. Er wordt teveel over hen gepraat, over hun pensioen, hun gezondheid, hun huisvesting en vrijetijdsbesteding, maar te weinig met hen gesproken. Ga eens praten en vooral eens luisteren naar oude mensen, die nog niet gekraakt werden door het onmenselijk levenspatroon van de grootstad. Je zult verbaasd staan, stomverbaasd over hun levenswijsheid, hun humor, hun filosofie, hun rust, hun vrede en tevredenheid.

Er is een diepe eenzaamheid in ieder mens. Ieder mens is uniek, maar ook alleen. Hij kan niet kruipen in de huid van een ander. In gedachten en gevoelens is hij nooit helemaal dezelfde als een ander. Zelfs in de intiemste verhoudingen is er een afstand, een onoverbrugbare verte, een moment van onmacht en pijn. Die diepe eenzaamheid zal er altijd zijn, zelfs als de nabijheid van geliefde wezens haar naakte aanwezigheid een tijdlang bedekt. Ieder mens leeft zijn eigen leven — alleen. Ieder mens sterft zijn eigen dood — alleen. Om deze fundamentele eenzaamheid draaglijk te maken en om de eenzaamheid van anderen te verzachten moet een mens weer geestelijk leven en binding zoeken met de geest van God, die liefde is.

Mens-zijn, 'n goed mens zijn,
dat is het enig belangrijke in deze wereld!

De mensen leven steeds langer, maar worden niet steeds vrolijker. Ze beginnen te werken om te leven en ten slotte werken ze en vergeten te leven. Ze hebben er niets van begrepen. Ze menen nog altijd dat het geluk van een mens erin bestaat: veel te hebben, weldoorvoed te zijn en lang te leven. Hoe kan men

21

in een tijd met zoveel wetenschap zo dom zijn. Verdedig je. Je bent geen machine gemaakt voor een bepaald doel. Je bent méér dan je functie, méér dan je beroep, je vak, je werk! Je bent op de eerste plaats 'mens', om te leven, om te lachen, om lief te hebben, zomaar om een 'goed mens' te zijn. En dat is het enig belangrijke op deze wereld!

Als je moegelopen bent naar de sterren om voor mensen in de nacht wat licht te zoeken, zet je dan neer in de stilte en luister naar de bron!
Als je diep genoeg doordringt tot de kern van de dingen krijg je ogen om onzichtbare dingen te zien en oren om onhoorbare dingen te horen!

Er is iemand die oneindig veel van me houdt.

Overal waar mensen liefhebben is God werkzaam aanwezig. Als de liefde woont in het hart van de mensen is het mogelijk dat mensen zinnig over God spreken en elkaar verstaan.

Ik voel me bemind tot in de toppen van mijn tenen. Danken wil ik. Ik stroom vol dankbaarheid. Maar zeg mij wie ik danken moet?

Geen president of generaal, geen professor of geen technocraat! Een God wil ik danken, een lieve God wil ik danken!

Met duizend handen streelt hij mij! Met duizend monden kust hij mij! Met duizend vruchten voedt hij mij! Op duizend vleugels draagt hij mij! Hij is mijn God! Ik ben kind aan huis bij Hem!

II

Neem je tijd
om gelukkig te zijn!

Dag, lieve medemens. Neem je tijd om gelukkig te zijn. Je bent een wandelend wonder op deze aarde. Je bent enig, uniek, onvervangbaar. Weet je dat? Waarom sta je niet verstomd, ben je niet blij, verbaasd over je zelf en over al die anderen om je heen? Vind je het zo gewoon, zo vanzelfsprekend, dat je leeft, dat je leven mag, dat je tijd krijgt om te zingen en te dansen, om gelukkig te zijn?

Waarom dan je tijd verliezen in een zinloze jacht naar geld en bezit? Waarom je een massa zorgen maken om dingen van morgen en overmorgen? Waarom ruzie maken, je vervelen, je verdrinken in zinloos amusement en slapen als de zon schijnt?

Neem rustig de tijd om gelukkig te zijn.
Tijd is geen snelweg
tusen de wieg en het graf,
maar ruimte, om te parkeren in de zon!

Vandaag is de dag om gelukkig te zijn! Geen enkele dag is je gegeven dan de dag van vandaag om voluit te leven, om blij en tevreden te zijn! Gisteren ben je kwijt, morgen moet nog komen. Vandaag is de enige dag die je even in handen mag houden! Maak er je beste dag van.

Menslief, je zit met heel je verleden op je nek en je wilt ook nog heel je toekomst dragen. Dat is veel te veel. Je krijgt je leven in schijfjes van 24 uur. Waarom dan alles ineens willen dragen? Daar ben je niet voor gemaakt. Daar ga je aan dood!

Vergeet niet:
dat elke dag je wordt aangereikt
als een eeuwigheid, om gelukkig te zijn!

Let 'ns op, hoe je 's morgens wakker wordt! Probeer 'ns een beetje aandacht te schenken aan die eerste nog half onbewuste momenten! Je bent nog niet helemaal meester van jezelf! Je ogen zijn nog wat toe! Het kost heel wat moeite om uit je zalige slaap te voorschijn te komen, tenminste als je een goede slaper bent! Let 'ns op!

Probeer 'ns te ontdekken, wat er die eerste ogenblikken van de dag in je omgaat: ,,Vind je het heerlijk, wakker te worden?'' ,,Leef je graag vandaag?'' ,,Heb je zin om eraan te beginnen?'' ,,Of voel je de dag als een loodzware pletwals op je afkomen?''

In dat ene onbewaakte, onbewuste moment kun je ontdekken of je gelukkig bent! Het gaat niet over gewoon maar 'moe zijn' of 'ns 'geen zin hebben'!

Het zit veel dieper! Staan ze je aan, die man, die vrouw, die kinderen van je, die mensen, waar je naar toe moet of die op je afkomen? Ben je blij met dat werk, blij met heel die dag, die onherroepelijk voor je ligt? Of kapituleer je al op voorhand en sta je op met twee leme voeten en veel tegenzin?
Heel even eerlijk zijn! Niet te vlug, niet onmiddellijk je gezicht opsmukken om op het toneel te verschij- nen! Eerlijk zijn! Het loont de moeite jezelf te be- trappen! Als het je echt niet gaat, vraag je dan eens af 'waarom'! En doe er iets aan! Want er is geen mens ter wereld die er op dit ogenblik iets kan aan veran- deren buiten jezelf. Of ga je misschien iemand vra- gen om vandaag in jouw plaats te leven? Kun je flui- ten? Doe het dan.

Aanvaard elke nieuwe dag als een geschenk,
als een gave en zo mogelijk als een feest!
Sta 's morgens niet te laat op!
Kijk in de spiegel en lach tegen jezelf
en zeg 'goede morgen' tegen jezelf,
dan ben je een beetje geoefend
om het ook tegen anderen te zeggen!

29

Gisteren en alle vorige dagen en jaren zijn voorbij, begraven in de tijd. Je kunt er niets meer aan veranderen! Waren er scherven? Draag ze dan niet mee, want ze zullen je dag na dag verwonden tot je tenslotte niet meer kunt leven! Er zijn scherven die je in Gods handen kwijt kunt, en er zijn scherven die je helen moet door oprecht te vergeven.
Scherven die je met al de liefde van je hart niet helen kunt, moet je laten liggen!

Begin nooit je dag
met de scherven van gisteren!

Een gelukkig mens
brengt licht waar het donker is.
Hij brengt leven waar het doods is.
Hij koestert zijn eigen problemen niet,
verwacht niet alles van anderen
en neemt eigen verantwoordelijkheid.

Een gelukkig mens
weet, dat het geluk geen lot is
uit de loterij, geen mooie vlinder,
waar je achteraan moet zitten.

Hij weet dat het geluk is als een schaduw,
die je volgt, als je er niet aan denkt,
als een echo, die antwoordt op de gave van jezelf.

Een gelukkig mens
heeft ervaren
dat het geluk uit zoveel delen bestaat,
dat er altijd wel een deeltje tekort is,
maar dit vergeet hij om te genieten
van wat hij heeft.

Een gelukkig mens
is nooit gevaarlijk
Een gelukkig mens
is er twee waard!

Misschien zoek ik het geluk veel te ver!
Het is ermee als met een bril.
Ik zie hem niet,
en toch staat hij op mijn neus.
Zo vlakbij!

Als je gelukkig wil zijn, moet je er een prijs voor betalen! De prijs, die een mens moet betalen voor zijn geluk, is de gave van zichzelf, niets meer en niets minder!

De gave van zichzelf mag niet gebeuren als offer, als plicht, niet uit fanatisme of uit prestatiedrang, maar spontaan en ontspannen, uit liefde. Het geluk is de schaduw van de liefde.

Gelukkig is de mens
die niet achter het geluk aanzit
als achter een vlinder
maar dankbaar is voor alles
wat hem gegeven werd!

Kwade dagen! Ja, je zult ook weten wat dat is! Dagen dat je alles donker en zwart ziet, dat je alles tegensteekt. Je voelt je moe, verlaten en verloren. Het kan je allemaal niet veel meer schelen. En het ergste is: je denkt dat het zo zal blijven. Kwade dagen duren zolang. Het zijn de langste dagen.

Iedere mens heeft van die kwade dagen! Wat moet je dan doen? ,,Geduld hebben'' zeg ik je 'geduld'. 'Geduld', weet je, is een grote maar zeldzame deugd. Een deugd is een eigenschap, die je deugd doet, als je

ze bezit, die je veel kan helpen in moeilijke omstandigheden. Geduld is een deugd die we vandaag verschrikkelijk groot nodig hebben. Alles moet snel gaan! Computer-tempo! Alle wensen onmiddellijk in vervulling met een druk op de knop. Bij de minste pijn onmiddellijk verlichting! Door gebrek aan geduld stijgt de gespannenheid en worden de kwade dagen nog langer. Wil je een beetje deugd hebben aan het leven, dan moet je de deugd van geduld beoefenen. Geduld hebben! Soms een tijdje blind vliegen! Nooit dramatiseren!
Je hebt zo dikwijls ervaren dat ook de goede dagen, ja de goede dagen zo snel voorbijgaan. En je vindt dat zeer erg. Waarom kan deze ervaring dan in kwade dagen geen troost voor je zijn? Kom, neem het niet al te zwaar op. Trek een glimlach over je gezicht. Kwade dagen gaan ook voorbij!

Je moet van tijd tot tijd leren blind vliegen,
zoals piloten in de mist.
Geef je blindelings over aan de leiding
van een ander.
Geduld hebben, veel geduld hebben ook met je zelf.

Als je moe bent, als je overhoop ligt met je omgeving, als je geen raad meer weet en je diep ongelukkig voelt, denk dan even terug aan de mooie dagen, dat je lachte en danste, dat je tegen iedereen vriendelijk was als een kind zonder zorgen!

Vergeet de mooie dagen niet! Als de horizon, zover je kunt kijken, donker blijft zonder een teken van licht, als je hart vol verdriet is en misschien vol bitterheid, als schijnbaar alle hoop op nieuwe vreugde en geluk verdwenen is, zoek dan toch zorgvuldig in je herinnering, ik vraag 't je, de mooie dagen. De dagen dat alles goed was, geen wolkje aan de hemel, toen er iemand was, bij wie je je thuis voelde, toen je enthousiast kon zijn over die ander die je nu ontgoocheld heeft en misschien bedrogen.

Vergeet de mooie dagen niet! Want als je ze vergeet komen ze nooit meer terug!

Humor en geduld zijn de kamelen
waarmee ik door alle woestijnen ga.

De enige zaak, die we meestal in ons leven niet ernstig genoeg nemen, is de vreugde en de humor. We beweren wel te pas en te onpas dat lachen gezond is, maar we houden ons met deze kant van onze gezondheid te weinig bezig.

De intensiteit van de vreugde is de beste graadmeter voor de gezondheid van het individu en de gemeenschap. De humor is niet blind voor eigen zwakheden en staat vergeeflijk voor de zwakheden van anderen.

De zwartkijker ziet de zon...
's morgens ondergaan!

Voor zo'n heerlijke lentemorgen met zo'n zachte, zalige regen, zo'n paradijselijk groen, met zoveel bloemen en zoveel vogelzang wil ik maanden lang regen en kou trotseren.

Elke dag nieuw zijn!
Nieuw ben je als je elke morgen verwonderd kunt zijn en dankbaar voor het licht van de dag. Als je juicht omdat je ogen zien, je benen lopen, je handen tasten, als je zingt omdat je hart klopt!
Nieuw ben je als je weet dat je leeft, als je beseft dat vandaag de eerste dag begint van de rest van je leven!

Nieuw ben je als je 'n verse kijk hebt op mensen en dingen, als je nog lachen kunt en genieten van de kleinste en de gewoonste bloemen op je levensweg!

Leven is dankbaar zijn
voor het licht en de liefde
voor de warmte en de tederheid
in mensen en dingen
zomaar gegeven.

III

Met geld alleen ben je geen cent waard

Ik hoef niets te bezitten om van alles te genieten. Er is zoveel als ik naar kleine dingen kijk en naar kleine eenvoudige mensen. Er zijn zoveel verrassingen en zoveel wonderen, die ik ontdek met de ogen open en met de ogen toe. Er ligt in alle dingen een souvenir van het verloren paradijs.

Als je blij kan zijn met een bloem, met een lach, met het spel van een kind, dan ben je rijker en gelukkiger dan een miljonair die alles heeft wat hij zich dromen kan, maar die aan niets meer vreugde beleeft omdat zijn eigen rijkdom hem aan banden legt. Niet het bezit maakt rijk, maar wel de vreugde.

Het geluk komt nooit langs bankrekening of postcheck. Vermaak en plezier en een verre vakantie kun je kopen, maar een onbezorgd en tevreden hart, dat een mens laat genieten van wat hij heeft, is nooit en nergens te koop. Het is onbetaalbaar.

De consumptiemaatschappij is geboren uit het geloof in het grote dogma van de publiciteit dat met geld alles te koop is.

Met geld kun je een mooi huis kopen, maar geen warme gezelligheid! Met geld kun je een zacht bed kopen, maar geen slaap! Met geld kun je relaties kopen, maar geen vriendschap! Met geld doe je alle deuren open, maar open je nooit de deur van het hart!

Geluk kun je niet kopen.
Wat een geluk!

De essentiële dingen van het leven zijn gratis. Ze zijn je zomaar gegeven:
De schoot van je moeder, en een moeder die zingt. De zon en de vriendschap. Een plaats aan tafel en een hartelijke omhelzing. Het licht van de lente. Het lachen van een kind. Het lied van een vogel. Het kabbelen van de beek. Het sap in de bomen. Het golven van de zee. De dag en de nacht. De rust en de stilte. De zevende dag. Het leven en het sterven. Het menszijn op aarde.

Kijk naar de leeuwerik die zingt hoog in de lucht. Weet je waarom? Omdat hij geen huishuur moet betalen.

Kijk naar de hemel en zing,
omdat de zon gratis voor je schijnt.

Nonkel had maar een klein stukje van de wereld gezien. Hij had maar één vrouw en maar één huis. Hij
had alle dagen met zijn handen gewerkt en alle mensen waren altijd welkom geweest aan zijn tafel en in
zijn hart. Toen hij 80 jaar werd was hij nog zo levens-
lustig en even enthousiast als iemand van 20! Hij
deed me geloven in het eeuwig leven! Ik dacht: ,,Als
alle mensen met zo weinig tevreden waren was er
voor iedereen genoeg!''

Liefde heb je meer nodig dan geld.
Liefde is de koopkracht van het geluk.

Mens, je bent meer dan je geld. Je waarde is niet te
wegen met geld en goed. Wat je met geld nooit kunt
kopen is het kostbaarste: warmte, genegenheid, een
thuis, waardering en vriendschap.

Wie je bent
is oneindig belangrijker
dan wat je hebt.

41

Ze was schatrijk. En ze wilde dood zijn. Een tweede huis in Hamburg, één in Parijs en één in Londen. En ze wilde dood zijn. Ze had pillen ingenomen. De dokters konden haar redden. Twee uur heb ik geluisterd naar haar verhaal, en tenslotte huilde ze: ,,Ik had alles willen missen, alles willen missen, had ik maar een klein beetje genegenheid en vriendschap gekend''.

Waarom hebben zoveel mensen niets aan het leven? Omdat ze geen vriendschap hebben, geen mensen kennen die van hen houden. Omdat ze nergens een teken van sympathie en genegenheid vinden. Omdat voor hen nooit een bloem staat te bloeien!

En toch doen bloemen wonderen! Het hoeven geen dure kostbare bloemen te zijn! Gewone eenvoudige bloemen: een glimlach, een goed woord, een simpel gebaar. Wie de zin van de rijkdom verliest, werpt zich uitgehongerd maar onverzadigbaar op dode dingen, op ersatz en zal in een dolle jacht naar steeds 'méér', dood-eenzaam worden op het onvruchtbaar eiland van zichzelf.

Een beetje meer 'wij' en wat minder 'ik'.
Wat meer goedheid en een beetje minder nijd.
Wat bloemen tijdens je leven
en minder stenen op je graf.

Op de hoogste trap van konsumptie en welvaart sterf je als mens.
Misschien ben je al dood? Je zit dood in het leven met een weldoorvoed lichaam en een leeg gemoed.
Je woont in de sjiekste villa met 'tapisplein' tot tegen het plafond.
Je geeft kapitalen uit voor een luxe-leven, en je kunt van niets meer genieten.
Dood ben je, zwaar bezoldigd misschien, bezoedeld door je geld, bezeten door je bezit.
Dood ben je.

Kom tot leven... leef!
Bevrijd je geest! Maak je hart los van duizend banden door dwaze begeerten gebonden!
Kom los van de dooie dure dingen, die je niet nodig hebt, die dienen voor je 'status', maar je geestelijk frustreren en je tenslotte doen stikken!
Bevrijd je uit de nacht van de grijze materie!

Kom tot leven... leef!
Je geest zal juichen
tot in de toppen van je vingers!
Je huis wordt weer een gastvrij huis
vol menselijke warmte en geborgenheid
ook zonder peperduur interieur!
Je gaat de natuur weer proeven!
Werken met je handen!
Je krijgt nieuwe ogen
voor de wonderen om je heen
en dankbaar ga je ergens
een boompje planten!
Je zult minder verbruiken
maar meer en bewuster genieten!
Je smaakt weer de weelde van eigen gebakken
brood!
Een glas helder water kan weer een feest zijn!
Je danst als de zon schijnt
en je fluit in de regen!

Besef dat je gemaakt bent
voor de vreugde!

Het is een verloren dag,
de dag, waarop je niet gelachen hebt!

De lach bevrijdt. De humor ontspant. De lach kan je verlossen van valse ernst. De lach is de beste kosmetiek voor je uiterlijk, en de beste medicijn voor je innerlijk. Als je lachspieren regelmatig werken komt dat je spijsvertering ten goede, wordt je eetlust gestimuleerd, en blijft de bloeddruk stabiel. De humor geeft je gevoel voor betrekkelijkheid.

De lach en de humor hebben niet alleen invloed op je stofwisseling, maar ook op je omgeving. Ze verminderen de spanningen en de tranen. De lach en de humor maken je vrij van die dodelijke ernst met loodzware problemen, vrij van de ellendige dagelijkse sleur. De lach en de humor zijn de beste middelen tegen intoxicatie van geest en hart. De lach en de humor scheppen nieuwe ruimten voor ongekende levensvreugden.

Nooit was er zoveel consumptie, zoveel vrijheid om z'n eigen goesting te doen. En nooit waren er zoveel mislukte mensen, zoveel ontspoorde huwelijken, zoveel ontwrichte gezinnen.

Nooit waren er zoveel opvangmogelijkheden en zoveel onmacht om mensen te helpen. In naam van de vrijheid hebben mensen zich aan 1000 banden gebonden. Een hele generatie heeft nooit van de 'onthechting' gehoord en heeft zo de vreugde gemist.

Zonder vreugde wordt het leven onleefbaar, een aaneenschakeling van lusteloosheid, verveling en dodende consumptie. De vreugde is de diepste zin van het leven.

Zeg ook eens:
ik heb genoeg!

Heer, verlos mij van dat onderhuids verlangen naar dingen, die me toch niet kunnen bevredigen en die mijn dwaze honger nog meer doen branden.
Ik heb twee ogen als diamanten zo kostbaar, een mond om te fluiten en een gezondheid, die niet te betalen is. Heer, ik heb genoeg.
Ik heb een zon aan de hemel. Ik heb een dak boven mijn hoofd. Ik heb werk voor mijn handen. Ik heb een welgevulde tafel om van te eten en ik heb mensen om lief te hebben. Heer, ik heb genoeg.

IV

Verzoen je met het leven

Een mensenleven is zo wonderlijk, zo onbegrijpe-
lijk. Jaar in jaar uit, dag in dag uit beweeg je je tussen
mensen en dingen. Sommige dagen schijnt de zon
en je weet niet waarom.
Je bent tevreden. Je ziet de mooie en de goede kanten van het leven. Je lacht, je dankt, je danst. Je werk
gaat vlot.
Iedereen is vriendelijk tegen je. Je weet niet waarom.
Misschien heb je goed geslapen. Misschien heb je
een goede vriend gevonden en voel je je geborgen.
Je zou de tijd van vrede en diepe vreugde willen laten voortduren.
Maar ineens verandert alles weer. 't Is alsof een te
hevige zon de wolken aantrekt. Er komt een soort
droefheid over je, die je niet kunt verklaren. Je ziet
alles weer zwart. Je denkt dat de anderen niets meer
van je moeten hebben. Je zoekt in een kleinigheid
een reden om te klagen, te kankeren, jaloers te zijn
en verwijten te maken. Je denkt dat dit zo zal voort-
gaan, dat deze stemming niet meer zal wijken. En je
weet weer niet waarom. Misschien ben je moe. Je
weet het niet.
Waarom moet het zo zijn? Omdat een mens een stuk
'natuur' is, met lentedagen en herfstdagen, met de
warmte van de zomer en de kou van de winter. Omdat de mens het ritme van de zee volgt: eb en vloed.

Omdat ons bestaan een voortdurende repetitie is van 'leven' en 'sterven'.
Als je dit begrijpt, kun je vol moed en vertrouwen verder, want dan weet je dat na elke nacht weer een nieuwe morgen komt. Als je dit aanvaarden kunt, zul je door dit regelmatig 'op' en 'neer' steeds dieper en vreugdevoller gaan leven.

Verzoen je met het leven.
Je hebt maar één huid.
Je kunt niet meer in een andere huid geboren worden.

Om een beetje gelukkig te zijn, een beetje hemel te hebben op aarde, moet je je verzoenen met het leven, met je eigen leven, zoals het is, nu! Je moet vrede nemen met je werk, met de mensen om je heen, met hun fouten en gebreken. Je moet blij zijn met je man, je vrouw, ook al weet je nu misschien, dat je niet de ideale man, niet de ideale vrouw getroffen hebt! (Ik geloof niet dat die bestaan.) Je moet vrede nemen met de grenzen van je portefeuille, met je gezicht, dat je zelf niet gekozen hebt, met je huis, je interieur, je kleding, met je eigen levensomstandigheden, ook al is alles bij je buurman zoveel beter en zoveel mooier (meen je).

Je maakt van alles een probleem. De minste moeilijkheid en je bent op van de zenuwen. Problemen vragen oplossingen.
Problemen, die je uit de weg gaat, beginnen te rotten. Maar er zijn een hoop moeilijkheden inherent aan het leven, aan het huwelijk, aan de opvoeding, aan het volwassen worden, aan de omgang, aan het werk. Die moet je aanvaarden. Daar moet je doorheen zonder discussie, moedig en beslist. Als je ervoor gaat vluchten zullen ze je achtervolgen en zwaar op je maag liggen.

Ik heb al heel wat mensen ontmoet, oneindig verschillend van elkaar. Ik heb naar hun diepste geheimen geluisterd. Nooit ben ik een mens tegengekomen die het 'lot', het grote, zuivere, volmaakte gelukslot, getrokken had. Ze hadden allen ergens iets, dat tegenzat. De gelovigen noemen dat 'kruis'.
Bij de ongelovigen en de onverschilligen was het 'ik heb geen chance'.
Daar waren mensen bij die door lijden en veel miserie heen toch blijde vrolijke mensen waren geble-

ven. Anderen gingen onder de druk van moeilijkheden en tegenslagen tegen de vlakte en werden verbitterd en opstandig. Ze hadden dikwijls hetzelfde
meegemaakt en toch was het resultaat zo heel anders.

De zon gaat niemand voorbij, maar als je zelf door
de schaduw kruipt kan ze je niet vinden.

,,Ik zit in de put'' zei hij aan de telefoon. ,,Ik zou
willen dood zijn''. Ik probeerde voorzichtig te infor-
meren naar zijn naam en wat er aan de hand was. ,,Ik
kan niet spreken'' fluisterde hij ,,ik zit op kantoor
hier tussen collega's'' en ik hoorde inderdaad stem-
men op de achtergrond. Na een korte stilte hernam
hij: ,,Ik maak mijn eigen leven en dat van anderen
kapot. Ik leef te materieel... ik ben God kwijt''.
Het was twee uur midden in de dag, een mooie dag
vol zon om van alles te genieten en te juichen om het
leven. En ergens was er een man die op z'n stoel zat
doodongelukkig in een groot kantoor, waar veel
geld verdiend werd. Maar ik had het gevoel dat hij
plots ontwaakte, een 'genade' midden een zonnige
dag, het begin van een verrijzenis. Het stikken in de
materie was totaal, maar het zo diep te ervaren was

een zegen voor hem. Zijn naam ken ik niet maar hij zal zoals zovelen een andere weg gaan. Misschien nog een omweg en tenslotte zal hij God vinden en weer staan in het licht en de warmte van de zon voelen.

Je mag niet ongelukkig zijn! Ik kan het niet verdragen! Als je ongelukkig bent, maak je ook anderen ongelukkig! Je maakt je meestal teveel zorgen! Het doet me pijn als ik naar je luister of je brieven lees! Je bent om zoveel dingen ongelukkig! Zeker, je bent mens.

Soms heb je reden om droef te zijn, om te treuren. Iemand van wie je houdt, is ziek, heeft een ongeluk, sterft. Ween gerust, als het leed van de ander je pijn doet. Maar ik vind het erg als je je leven gaat verzuren om die dagelijkse kleine tegenvallen, een hard woord, een schram op je auto, een stuk van je beste servies, dat kapot valt, een party, die je moet missen, een invitatie, die je niet kreeg, je man die je niet meer zo wild enthousiast om de hals vliegt, je vrouw, die hopeloos overspannen is en schijnbaar zonder reden, een rekening die te hoog uitvalt enz.

Deze 101 dagelijkse dingen kunnen je soms zwaar wegen, maar als je je laat gaan, krijgen ze je helemaal klein en dan wandel je van de ene put in de andere.

Dan groeit er een sfeer van onbehagen. Dan stort je niet alleen jezelf in het ongeluk, maar ook je naaste familieleden, je vrienden en allen die bekommerd om je zijn. Dan leg je een druk op heel je omgeving. Ik zeg je dat mag niet! Je mag niet ongelukkig zijn, omdat je dan niet meer in staat bent wie ook gelukkig te maken.

En dat is toch je levenstaak: anderen gelukkig maken. Alleen gelukkige mensen kunnen anderen gelukkig maken.

Is het leven je soms toch te zwaar, probeer dan een beetje te gelijken op een clown, die in zijn hart schreit maar met een lach op de viool speelt voor een kind, om zo zijn eigen hart van droefheid te genezen.

*Je ziet alles heel anders en veel beter
door ogen die geweend hebben.*

Vroeg of laat stoot je met je kop tegen die ellendige dwarsbalk, die je leven maakt tot een kruis. Je wordt ziek. Je hebt een accident. Degene die je liefhebt, sterft. Je carrière wordt gebroken. Je wordt bedro-

gen, in de steek gelaten door je eigen man of vrouw.
Men werkt je tegen. Men ruïneert je. Je wordt verne-
derd, uitgestoten! Je kunt niet meer mee.

Het kruis is een realiteit in ieder mensenleven. Maar
steeds minder mensen zijn er tegen opgewassen. Ze
aanvaarden het niet meer en ze worden overspannen. Velen gaan eraan ten onder.

Je hebt geen keuze! Je draagt je kruis ofwel zal het
kruis je verpletteren. Maar je kunt pas dragen, als je
de zin en de functie van het kruis leert begrijpen. Het
kruis brengt je terug tot je waarheid, tot je juiste af-
metingen van arm, zwak, kwetsbaar, klein mensen-
kind. Het kruis kan je bevrijden uit de materie, waarin je dreigt te stikken; kan je los maken uit je middel-
matigheid. Het is als een antenne, waarmee je een
boodschap van God kunt opvangen. Ze zal je niet
verlossen van je lijden, maar ze zal je verlossen van
de zinloosheid en de nutteloosheid ervan! Je kunt
weer 'mens' worden.

Je kunt het kruis niet uit je leven bannen,
zonder er aan kapot te gaan.

Op je deur waarmee je het verleden dicht doet,
staat maar één woord: vergiffenis. Na alles wat men-

sen hebben meegemaakt en van elkaar hebben moeten verdragen, kan alleen met vergiffenis 'vrede' groeien! Elk woord en elk gebaar dat vergiffenis schenkt, is een bijdrage tot vrede!

Ik ken veel mensen en ik ken de geheimen van veel mensen.
En ik ben hoe langer hoe meer overtuigd dat geen twee mensen hetzelfde zijn. Ieder mens is een wereld op zich, en leeft en voelt en denkt en reageert vanuit die eigen wereld, waarvan de diepste kern me altijd vreemd blijft! Daarom ontstaan tussen mensen bijna noodzakelijkerwijze contactstoornissen, wrijvingen en botsingen. Alleen maar als ik begrip heb voor het feit dat de andere 'anders' is en als ik bereid ben te vergeven, is het 'samenleven' mogelijk.

Trouwring. Teken van liefde en trouw. Liefde en trouw kunnen in de storm geraken. Er komen dagen dat het niet gaat, dat er niets gaat. Als er door dwaze fouten een breuk ontstaat en door scheuren de nacht binnenkomt in je hart en in je huis, is er maar één oplossing, maar één opening naar het 'licht': vergeving.

*Het is nooit te laat
om je te verzoenen!*

De 'zon' wordt tegengehouden door wolken van wantrouwen aan de hemel van onze samenleving, door de mist van onenigheid, verdachtmaking en strijd, door de nacht van agitatie en haat!
De 'zon' in mijn leven wordt tegengehouden door de muren, die ik bouw in mijn eigen huis tussen mensen, die er wonen, door de deuren, die ik hardnekkig gesloten houd voor hen, die ik niet meer wil zien en waar ik vroeger van hield! Verzoening: is de enige hand die de wolken wegvagen kan. Verzoening: is als het morgenlicht dat langzaam de nacht verdrijft. Verzoening: is de sleutel waarmee lang gesloten deuren opengaan.

*Je hebt twee handen,
een linker en een rechter!
Steek één hand uit naar links
en één naar rechts,
en verzoen de mensen met elkaar!*

Van die oude zieke man moet ik veel leren. Ik heb hem bezocht in de kliniek. Hij zat half recht. Z'n longen zijn kapot, omdat hij jarenlang voor een open vuuroven heeft moeten werken, zonder masker of enige andere bescherming. Hij heeft precies vlammen geademd en nu hangen rond z'n bed de slangen zuurstof, die hem regelmatig moeten voeden. ,,Zuurstof,' zegt hij, ,,dat is toch iets goed, een echte weldaad''. En ineens denk ik eraan dat ik alle dagen zomaar van deze weldaad profiteer, zonder het te weten. Even later glimlachte hij: ,,Ik heb hier toch een mooi uitzicht''. Hij kijkt door het venster en ziet alleen maar de toppen van wat bomen, een paar wolken en een beetje blauwe lucht. ,,Die mij hier verzorgen zijn allemaal even goed'' zegt hij nog en voor ik wegga: ,,Maar ja, het komt allemaal wel weer goed''. En hij weet evengoed als ik dat zijn kapotte longen nooit meer zullen genezen. Van deze man moet ik veel leren. Hij heeft zelfs in deze uitzichtloze situatie niets verkeerds gezien. Hij zag alleen maar goede dingen. Hoe is 't mogelijk? Deze man moet me leren leven vooral in dagen dat me alles tegensteekt, ofschoon ik over niets echt te klagen heb.

Elke dag, elk uur zijn er mensen in dorpen en steden, in grote en kleine straten, in enorme hospitalen en klinieken, in mooie salons en armzalige kamers, of ergens langs de weg, mensen die in hun diepste nood de handen voor het gezicht slaan en schreien om zoveel onuitwisbaar leed en die machteloos en radeloos huilen om de onverbiddelijke dood.

Waarom zoveel lijden? Waarom multiple sclerose? Waarom kanker? Waarom die handicap? Waarom dit accident en nooit meer kunnen lopen? Waarom doodgaan in de lente van het leven?...

Waarom?... Waarom?... Aan wie vraag ik dit? Aan de wetenschap? Ze weet er alles van en zal me tot in de kleinste details de juiste oorzaken van m'n lijden en m'n sterven verklaren. Maar wat kan ik met zo'n antwoord doen?

Als ik aan de doden denk en aan m'n eigen dood en aan het lijden van onschuldigen, dan kom ik in het mysterie terecht.

Dan kan ik proberen niet te denken, te vergeten of me iets wijs maken. Maar zolang ik hersenen heb en een hart, zal het me achtervolgen. Als dan het uur gekomen is dat ik zelf zal binnengaan in de nacht van lijden en dood, dan blijft me niets anders meer over, dan de aanvaarding!

Ik wens dat ik in zo'n uur zal kunnen bidden, zal kunnen roepen naar God: ,,Waarom heb je de zonnen gedoofd, die je zelf hebt aangestoken!''

En ik weet zeker dat ik dan met het hart dingen zal vernemen, die ik met het verstand niet verklaren kan.

Waarom wordt er in onze tijd zo angstvallig ge-
zwegen over de dood?
De dood heeft ons zoveel te leren.

De herfst begint. Je ziet het in de tuin, in de bomen en de bossen. Je voelt het in de lucht en als je oud wordt in je eigen lenden. Je gaat mee de herfst in. Tegen de herfst is geen kruid gewassen. Maar de herfst is mooi en kan zo warm van kleuren zijn. De laatste vreugden van het leven zijn stiller maar ook voller en dieper. Laat de herfst maar over je komen. De zomer is onherroepelijk voorbij.

De graankorrel
zoek nooit de aar.

Het is nooit te laat om je te verzoenen, omdat het nooit te laat is, om lief te hebben en ook nooit te laat om gelukkig te zijn. Wie geen verzoening wil blijft

60

wonen in de nacht met die eeuwige onvrede als een kanker in zijn hart. Wie geen verzoening wil straft vooral zichzelf. Verzoening kan onmogelijk schijnen omdat elke verzoening van twee kanten komen moet. Verzoening kan je niet forceren. Verzoening moet je laten groeien. Verzoening moet je met kleine zaadjes van vrede en vriendschap zaaien langs de weg waarop je de ander ontmoet. Verzoen je, voor zover het van jezelf afhangt met alle mensen om je heen.

V

Zalig de geweldlozen

Zalig de geweldlozen die niet uit zijn op macht en weten dat aan hun lichaam handen groeien om te geven en geen vuisten om te slaan.

Zalig de geweldlozen die zich niet langer aanpassen aan de eisen van de technocraten en aan de normen van een verdwaasde consumptiemaatschappij.

Zalig de geweldlozen die steeds aan de kant van de zwakken staan overal waar mensen slachtoffer zijn van mensen en niet moe worden op te komen voor de rechten van de verdrukten.

Zalig de geweldlozen die de spiraal van geweld in de wereld ombuigen tot een spiraal van vriendschap en liefde. Ze zijn als de stroming in de bedding van een rivier, die de keitjes polijst totdat ze meerollen in de stroming. Met zacht geweld, veroveren ze de harten van de mensen.

Om een geweldloze te worden moet je een stuk door de woestijn om je eigen hart te zuiveren. In de ogen van de machthebbers, van de groten dezer wereld ben je de verliezer.

Voor geweld moet je leren haten!
Voor geweldloosheid moet je leren liefhebben!

Geweldloosheid is veel meer dan het niet gebrui-
ken van geweld.
Geweldloosheid staat en valt met de visie op het
kwaad. Wie het kwaad alleen maar ziet in systemen
en structuren en in andere mensen, maakt een fundamentele denkfout. Het kwaad zit veel dieper. Het
zit diep geworteld in ieder mensenhart, waar de ene
mens de ander niet aanvaardt, afstoot en tenslotte
gaat liquideren.

Het kwaad in de wereld. Het kwaad is in het hart
van de mens. Het is in zijn bloed. Het stroomt door
zijn aderen. Het geeft de wil energie om te vloeken
en te vervloeken, om te slaan en te doden. Het geeft
de spieren kracht om de wapens te hanteren, de ra-
ketten af te vuren en de bommen te doen vallen.
Het goede in de wereld. Het goede is als een klein
zaad in het hart van de mens. Het groeit in stilte. Het
komt niet met geweld. Het wordt langzaam rijp als er
maar een beetje warmte is van medemensen. Teveel
goed zaad komt nooit tot groei en bloei en kan geen
vruchten dragen in een droge, harde en koude wereld.

We moeten leren het kwaad te bestrijden
zonder iemand kwaad te doen !

De wereld zit vast in een vicieuze cirkel. Kwaad roept kwaad op. Geweld vraagt geweld. Het ene onrecht volgt op het andere. Men zoekt degene, die het eerst geslagen heeft, niet om te vergeven, maar om terug te slaan. Men blijft in dezelfde cirkel ronddraaien.

Het is verrassend, dat in de geschiedenis van de mensen er plots iemand gekomen is, die de vicieuze cirkel doorbrak, iemand, die een geheel nieuwe weg insloeg: de weg van de vergeving. Jezus schakelde de vijanden uit met het woord vergiffenis. Zijn woorden en het getuigenis van zijn leven en sterven hebben de wereld diep geschokt en plaatsen elke generatie voor de keuze: Geweld of geweldloosheid. Vergiffenis of wraak.

Duisternis kun je met duisternis niet verdrijven.
Alleen het licht kan dat.
Haat kun je met haat niet genezen.
Alleen de liefde kan dat.

Als je van mensen vijanden maakt kun je er niet meer mee praten, kun je er niet meer mee eten, niet meer mee wonen, niet meer mee werken, niet meer mee leven. Kun je er alleen nog mee vechten.

Noten mag je kraken — mensen nooit!

Mensen worden gekraakt omwille van dat lieve geld, om carrière te maken, uit jaloezie, uit wraak, uit verbittering over eigen mislukking. Mensen zitten in de tang van een ongezonde concurrentie, van een roddelcampagne en worden meedogenloos gekraakt.
Strek je handen uit naar de mensen. Ze zijn broos en kwetsbaar. Reik hun het brood van je goedheid. Je moet voor je medemensen een 'haven' zijn, een toevlucht, een oase!

Ik wil de wereld veranderen,
maar ik hou teveel van mensen
om dit met geweld te doen.

Met geweld gaat alles kapot. Brutalen zijn bulldozers. Ze dringen overal door. Ze verpletteren alles, wat teer, zwak en kwetsbaar is. Mensen zijn dagelijks slachtoffer van mensen. Over het geluk van mensen valt de schaduw van het geweld.

Maar geweld kun je niet met geweld oplossen. We moeten de weg van het geweld verlaten, de weg van bloed en tranen, de weg van de dood, de oude weg van generatie tot generatie platgetreden door mensen, die alleen maar geloofden in macht en bezit en in het recht van de sterkste.

We moeten de lange weg gaan naar menselijkheid onder de mensen, de weg naar het licht doorheen de nacht, de lange weg naar de liefde, totdat de vreugde om het leven als een kleurrijke regenboog staat aan de hemel van ons dorp, dat aarde heet.

De eerste vuistslag
die men iemand toebrengt
is dikwijls maar een woord!

Wees voorzichtig met je uitspraken. Woorden zijn machtige wapens, die veel onheil kunnen stichten. Maak met je grote mond nooit iemand klein. Een hard woord, een scherp woord, het kan lang op de bodem van het hart blijven branden. Wees met je woorden mild en barmhartig.

Is je hart een oase voor mensen dan zal je woord het water zijn dat woestijnen vruchtbaar maakt. Het woord is een wondere gave door God aan mensen gegeven om gemeenschap te vormen. Het woord mag geen wapen worden. Laat God wonen in je woord dan is je woord 'licht', 'liefde', 'leven'.

Het leven is veel te kort
en onze wereld veel te klein
om er een slagveld van te maken!

Ons samenleven is hard. Onze taal dikwijls vol dreiging en geweld. Protesteren. Contesteren. Vechten. We hebben meer dan ooit behoefte aan zachtmoedigheid, aan tederheid. Zachtmoedig word je, als je weet hoe breekbaar alle dingen zijn.

Bekleed je met tederheid en zachtmoedigheid
voor alle mensen om je heen en laat niemand meer
in de kou staan!

Geweldloosheid is meer dan lief-zijn voor elkaar. Geweldloosheid is opstaan tegen elk onrecht, elke uitbuiting, elke corruptie. Geweldloosheid is niet alleen de weigering een mens te doden of te martelen. Maar ook de weigering om van een mens te profiteren. Geweldloosheid is met de inzet van je eigen leven opkomen voor de rechten van de minderheden, van de armen en de machtelozen, en met geweldloze acties alle onmenselijke en verdrukkende maatschappijstructuren ombouwen tot structuren met een menselijk gelaat.

Deel je brood en het smaakt beter.
Deel je geluk en het wordt groter.

Iedereen weet het nu. Miljoenen mensen lijden honger, gisteren, vandaag, morgen. Ze kunnen niet werken, omdat ze geen eten hebben. Ze worden ziek, omdat ze geen eten hebben. Ze sterven jong, omdat ze geen eten hebben. Wat doen wij, mensen die een goede tafel en een zacht bed hebben? Schrikken wij bij de eerste confrontatie met dit werelddrama? Hebben we medelijden? Beginnen we te redeneren? Werpen we de schuld op anderen? Schrikken helpt niet. Medelijden helpt niet. Redeneren helpt niet. De schuld op anderen werpen is een vlucht. We moeten delen!

Ik hoor hem nog altijd roepen: ,,Foutez-nous la paix''. Trap het af met uw ontwikkelingshulp! Het was op een internationale conferentie in Parijs. Een zwarte onderwijzer kwam naar voren, wachtte tot de zaal muisstil was en riep uit: ,,Foutez-nous la paix. Gij hebt ons nooit geholpen. Als ge ons helpen wilt komt dan in onze schoenen staan en drinkt met ons dezelfde beker, dan zult ge weten, dat we uw beschaving niet nodig hebben!''

Willen we overleven dan moeten we 'anders' gaan leven. Het is nodig de mensen een nieuwe bodem onder hun bestaan te schuiven zodat ze andere waarden belangrijk gaan vinden om gelukkig te zijn. We zullen pas broederlijk delen als we in staat zijn broederlijk te leven.

Leg alle wapens der wereld
in de handen van een Franciscus van Assisië
en je kunt op je twee oren slapen.

In tijden van oorlog kunnen mensen zich alles ontzeggen, zijn mensen tot alle offers bereid, laten mensen zich zwaar belasten. Ze geven hun geld en hun
leven. Ze lijden honger en gebrek, met als resultaat
dat miljoenen medemensen worden vermoord en
duizenden dorpen en steden worden verwoest.
Waarom geeft de oorlog de mensen zoveel energie
en uithoudingsvermogen en is de 'vrede' niet in
staat de mensen te bewegen zich ook maar iets te
ontzeggen?

VI

Alleen in liefde
kan je mens worden

Liefde is geen luxe-artikel voor goedhartige mensen en zachte karakters. Liefde is niet als zomersproeten die de een krijgt en de ander niet, zonder er moeite voor te doen. Liefde mag niet verward worden met sentimentaliteit, met goede werken doen en aalmoezen geven. Liefde heeft weinig te maken met de solidariteit binnen machtige organisaties en politieke partijen, waar men alleen zichzelf en elkaar helpt en beschermt.

Liefde is mensen beminnen, niet de systemen, de partijen, de structuren. Mensen beminnen, niet de abstracte, onzichtbare mensheid, maar de concrete mens vlak naast je, en de mens, die langs het T.V.-scherm je huiskamer binnenkomt, omdat hij honger heeft, omdat hij door rampen geteisterd wordt, omdat hij verdrukt, uitgebuit en geslagen wordt. Liefde gaat veel verder dan het delen van rijkdom en welvaart. In de economie van de liefde moet men meer geven dan men bezit. Men moet zichzelf geven!

Als je de liefde niet hebt, wat heb je dan wél? Geld? Comfort? Luxe? Wat doe je ermee? Wat ben je ermee? Niets!

Zonder liefde ben ik een grote nul!

Al ben je de armste, de zwakste, de zondigste van alle mensen, als je de liefde hebt kun je leven. Al word je zwaar geteisterd door ziekte en tegenslag, als je de liefde hebt hou je stand. Al heb je geen huis, alleen maar een hut, als je de liefde hebt ben je thuis. Al heb je geen eigen bezit, geen geld op de bank, als je de liefde hebt ben je rijk. Als je de liefde hebt, heb je God in je hart en geniet je van alle dingen.

De liefde is als de zon
Wie ze heeft kan veel missen.
Wie de liefde mist, mist alles!

De zon is voor velen de gewoonste zaak van de wereld. Toch doet ze elke dag een wonder. Ze steekt het licht en het vuur voor me aan. Ze vecht tegen de wolken om me te zien en me een mooie dag te schenken. 's Nachts gaat ze naar de andere kant van de aarde om ook daar de mensen haar licht te schenken. Doof ik de zon dan zit ik in de zwartste duisternis en de ijzigste kou. Zo is het met de liefde. Gaat de liefde op in m'n leven dan brengt ze licht en warmte.

Als ik de liefde heb, kan ik veel missen. Maar als de liefde ondergaat in m'n leven worden de schaduwen steeds groter en geraak ik stilaan in de nacht en in de kou.

Zoals een bloem de zon nodig heeft
om bloem te worden,
zo heeft een mens de liefde nodig
om mens te worden.

Een beetje liefde kan als een druppel water zijn die een bloem de kracht geeft zich weer op te richten. Een beetje liefde kan een mens genezen. Een mens genezen is hem helpen de verloren moed terug te vinden.

Wil ik echt liefhebben, dan moet ik opgaan in diepe en waarachtige bezorgdheid allereerst voor die en-kele mensen, dicht bij me die aan m'n zorgen zijn toevertrouwd, die mensen met wie ik onder één dak woon, met wie ik dagelijks werk, met wie ik samen reis, met wie ik stoei en speel en lach.

Zo'n bezorgdheid bindt me en haalt me weg uit m'n eigen kleine belangensfeer. Ze is echter broodnodig om niet te verschrompelen.

Je medemens die wacht op je liefde en nood heeft aan waardering en vriendschap. Je medemens die je echt helpen kunt elke dag opnieuw met je glimlach, je goed woord en je steun, woont niet voorbij de horizonten, woont niet ver over zee. Je medemens is hier. Waarom zoek je zover?

Alleen water kan een woestijn veranderen.
Water is leven.
Liefde is levend water.

De westerse maatschappij lijdt aan een zwaar hart-infarct. Ze moet naar de reanimatiekamer. Het westen moet het serum van de liefde krijgen.

In onze kunstmatig opgebouwde wereld is een fout gemaakt. Er is iets vergeten, iets fundamenteels, dat door niets anders vervangen kan worden. Er werden sociale wetten gemaakt, sociale instituten opgericht en diensten voor public-relations, maar men vergat, dat dit alles geen zin heeft, als in elke menselijke relatie, achter loketten en door papieren dossiers heen geen mensenlijk hart zichtbaar en voelbaar wordt. Het westen heeft geen gebrek aan kennis, aan deskundigheid en vaardigheid, maar een grondig gebrek aan liefde.

Liefde is het fundament van elke gezonde samenleving. Waar ruimte gemaakt wordt voor de functie van het hart, staat de kleine zwakke mens weer centraal in het samenleven, in het samenwonen en -werken van mensen, centraal in het sociaal, politiek en economisch gebeuren.

Vrij ben je alleen in liefde!
Absolute vrijheid
is de vrijheid van de sterkste,
de jungle.
Niet de vrijheid,
liefde is de hoogste menselijke waarde!
Alleen in liefde
is de zwakke sterk
en de arme veilig!
Ware vrijheid is geestelijke vrijheid!

Wiens vrijheid stoelt op macht en bezit
is zelf niet bevrijd!
Vrij ben je
als je nergens meer gevangen zit
in je eigen 'ik',
in je eigen hebzucht!

VRIJ BEN JE ALLEEN IN LIEFDE!
Vrijheid kan alleen maar stromen
in de bedding van de liefde.

Fouten zie je dik,
als de liefde dun is.

Liefde is altijd een beetje blind voor de fouten van
anderen. Als liefde en vriendschap kwijnen, gaat
ook deze sympathieke 'blindheid' verloren. Je krijgt
slechte ogen en je ziet ten slotte niets anders meer
dan fouten en gebreken... lelijke dingen!

Ik zit altijd met de vraag: waarom houden de mensen de liefde niet vol? Waarom wordt het zo moei-
lijk als men dagelijks moet samenleven? Ik geloof,

dat we heel dikwijls onszelf iets wijsmaken. We beweren de ander te beminnen en in feite houden we alleen van onszelf, van ons eigen 'ik'. Men verwacht teveel van de ander. De ander moet vriendelijk zijn. De ander moet me ophemelen, moet me op de handen dragen, mag geen kwade bui hebben, mag me niets verwijten. Bij de minste ontgoocheling voel ik me gekwetst in m'n liefde. We denken te weinig of bijna nooit aan hetgeen we zelf kunnen geven en kunnen doen voor de ander. Zeg niet te vlug: ,,Je houdt niet van me!'' Zolang je zelf niet alles gegeven hebt.

Alleen in liefde
hou je mensen vast!
Anders stoot je ze af!

Mensen zijn niet zomaar blindweg op onze planeet geworpen. Mensen zijn aan mensen toevertrouwd. Mensen zijn aan mensen in handen gegeven. Mensen zijn zwaar verantwoordelijk voor mensen. Het meest elementaire, het meest fundamentele recht is recht op liefde, recht op iemand, die van je houdt. Ieder mens, die ter wereld komt, heeft een onvervreemdbaar recht op een vader en een moeder. Dat wil zeggen: recht op een thuis op aarde. Recht op liefde, op menselijke warmte. Recht op geborgenheid. Het menswordingsproces begint in de moederschoot. Alleen in liefde kun je mens worden. Alleen in de veilige geborgenheid van mensen, die van je houden, kun je tot menselijke ontplooiing komen.

Waar mensen in liefde weer mens worden voor elkaar groeit de hemel over de aarde!

Als een vogel uit het nest wordt gestoten, sterft hij. Als een kind geen liefde, geen geborgenheid vindt in de armen en het hart van mensen, gaat het de woestijn in.

Mensen beminnen, omdat ze zo 'beminnenswaardig' zijn, loopt ten slotte uit op een fiasco. Mensen zijn niet altijd zo beminnelijk dat je er als vanzelf gaat van houden. Vijanden vergeven en liefhebben, het kwade met goed vergelden is bovenmenselijk, als er niet een hogere reden is, een diepere motivatie, een zuiver geestelijke motivatie.

God is liefde. Dit is de meest verrassende boodschap die tot ons komt uit dat nieuwe boek voor deze tijd, het oude evangelie, waarin het humanisme
van God beschreven staat. Het is de meest menselijke en de meest goddelijke boodschap aller tijden.
Het tegenovergestelde van alle gangbare ideolo-
gieën. Het evangelie is geen leer. Het evangelie is leven.

De liefde van God is zichtbaar, tastbaar en voelbaar
geworden in een menselijk lichaam, in een menselijk hart, in de persoon van Jezus van Nazareth, opdat mensen in liefde weer zouden mens worden
voor elkaar.
Jezus is de mensgeworden liefde van God. In Hem is
het oerbeginsel van het goede geopenbaard. In Jezus
heeft God gekozen voor de mens, heeft God de
mens centraal gesteld.

Het evangelie van de liefde is het evangelie van de
dwaasheid. Het gaat over de boodschap van een liefde, die pijn doet, die door het kruis getekend is. Wie
in deze liefde is binnengetreden legt zijn hoogmoed
af, doet afstand van machtsposities en neemt gaarne
de laatste plaats in om ten dienste te staan van allen!

God is aanwezig in ieder goed mens, die van je houdt, die je de moeite waard vindt, die met je meegaat en bij je blijft als de avond valt.
God kijkt je aan door de zachte ogen van ieder mens, die begrip voor je heeft. Hij is aanwezig in ieder goed woord dat een troost en een steun voor je is. Hij is in de hand op je schouder, die je moed geeft en je liefdevol terechtwijst als je donkere wegen gaat. God is aanwezig in de mond die je met liefde kust. Het is de warmte van zijn hart die je voelt in elke omhelzing. Als de liefde woont in het hart van de mensen is het mogelijk dat mensen zinnig over God spreken en elkaar verstaan.

Liefde: geen uitvinding van mensen.
Het is een uitvinding van God.

VII

Vriendschap sluiten met de natuur

Mens, alles werd je in handen gelegd, alle leven werd je toevertrouwd! Je had een tuinman kunnen zijn in een paradijs, waar de bloemen gratis voor je bloeien, maar je hebt van je handen grijpers gemaakt, je voeten werden rupsbanden om door alles heen, voor je eigen glorie en heerschappij, een monument van staal en beton te bouwen! Nu zit je daar dood in je dikke huid, tussen duizend dooie dingen, super-de-luxe, zoekend naar een pil om te leven.

De innerlijke bezoedeling,
de psychische bezoedeling
van de mens ligt aan de basis
van de totale vervuiling
van het menselijk milieu.

Ween, moeder aarde, om het grote verdriet van alle leven dat je hebt voortgebracht.
Je hebt het stille verborgen leven gekoesterd in je schoot. Je was vruchtbaar in miljoenen gewassen. Je liet miljoenen diertjes spelen onder je huid, in alle groen tot in de diepste oceaan. Je liet een weelde van vlinders en vogels nestelen in bomen en struiken en dansen in alle luchten.

Ween, moeder aarde, om het grote verdriet dat mensen je hebben aangedaan.
Zij hebben roofbouw gepleegd op de grondstoffen, die eeuwen de tijd kregen om zich in je schoot te vormen. Zij zijn bezig in een beestachtig tempo je helemaal uit te putten en de rijkdom van hun eigen kinderen en kleinkinderen te verbrassen.

Onze aarde is een wondere woonplaats. De mens mag koning zijn, maar geen stroper. Met zijn 'groot' verstand en met al de wetenschap van de wereld heeft de mens schijnbaar nog niets begrepen van de innige mysterieuze samenhang van alle dingen in heel de schepping. De mensen, de dieren, de bomen ademen dezelfde lucht, leven van dezelfde zon en voeden zich met de vruchten van eenzelfde moeder aarde. Elke aanslag op de natuur is een aanslag op de mens zelf. De dieren, de kleine en grote dieren, hebben een onvervangbare rol te spelen tot het instandhouden van het natuurlijk leefmilieu en zijn een onmisbare schakel in de voedselketen van de mensen. Mishandeling van dieren en uitroeiing van diersoorten is een misdaad tegen de mensheid. Wat er met de dieren gebeurt zal ook met de mensen gebeuren.
Wie het natuurlijk evenwicht op onze aarde verstoort maakt van onze wondere woonplaats een

dorre woestijn. Al hebben de dieren geen woorden,
ze spreken in alle talen en roepen om hun rechten.

Wie met een boom kan praten
hoeft niet naar de psychiater
al denken de meeste mensen
het tegenovergestelde.

Ik dacht, dat ik ze kende tot ik op een dag het wonder zag. Ze stonden met hun voeten in dezelfde
grond, met hun hoofd in dezelfde lucht, in dezelfde
zon en in dezelfde regen. En de appelboom maakte
appels en de pereboom, tien meter verder, maakte
peren. Heel normaal, zeiden de mensen. Maar ik kon
mijn ogen niet geloven. Met hetzelfde, wat ze haal-
den uit dezelfde grond, uit dezelfde lucht, dezelfde
zon en dezelfde regen, maakte de ene boom peren
en de andere iets verder appels. En die zijn zo verschillend van vorm, van kleur, van geur, van smaak.
Zo'n wonder had ik nog nooit gezien.

Als je van een boom alles wilt weten kijk dan goed
naar wat hij je zien laat van seizoen tot seizoen. Dan
zul je zijn rijkdom en zijn armoe kennen, zijn leven

en bloeien in de lente, zijn vruchten in de zomer, zijn sterven in de herfst en zijn dood-zijn in de winter. Als je een boom wilt leren kennen maak dan nooit al zijn wortels bloot, dan sterft hij voor altijd. Dat is ook zo met een mens.

Hoe komen takken aan de boom? Omdat de grote wortel, in de stilte en de verborgenheid diep onder de aarde, met vele kleine worteltjes voedsel zoekt die de boom doet groeien en groot worden.

Bloemen bloeien
ook als er niemand naar kijkt.
Bomen geven hun vruchten
zonder te vragen
wie ze opeet.

Een agenda vol afspraken en rennend van de ene vergadering naar de andere. Loop naar het bos. Levensmoe en opgesloten in een eigen eng wereldje van overdreven of nutteloze dingen. Loop naar het bos. Het is lente. Loop naar het bos. Daar staan de bomen op je te wachten. De heerlijke bomen, die zwijgend genieten van de stilte en van het sap dat

met de lente stijgt tot in de toppen van hun takken.
Daar zijn de vogels voor je aan het zingen.
Loop naar het bos. Leg je aan de voet van een boom
met een grasspriet tussen je tanden en geniet van een
zalig niets doen. Dan komen de beste gedachten op
je af, zomaar, en de mooiste dromen. Dan verdwijnen de problemen die je tussen muren hebt.

Er is een fantastische liefde ingebouwd in de natuur.
Neem eens de tijd om rustig met aandacht en liefde
naar een bloem en een boom te kijken.

Mijn beste ajuin, hoe weet jij dat het lente is? Een
jaar geleden haalde ik je m'n kamer binnen en legde
je op een plank boven m'n bed in de schaduw van
een boek. Je bewoog niet, je veranderde niet, je
wachtte maar... Je wachtte misschien, totdat ik je
opeten zou...
Een jaar lang heb je daar gelegen en nu ineens kom je
open, kom je naar buiten... Je hebt geen zon gezien.
Ik heb je geen water gegeven. Je hebt nooit iets ge-
kregen, tenzij mijn liefdevolle blik. En nu ineens
kom je me zeggen dat het lente is.
En het is lente in de lucht en in het land. Wie heeft
dat in je hart geschreven? Ik dank de onzichtbare

Meester die je geprogrammeerd heeft en je in stilte zo intens leven doet. Wat een wonder. Ja, mijn beste ajuin, ik weet het. Natuurwetenschappelijk zal men mij alles verklaren tot in de kleinste details, maar dat wist het wonder bij mij niet uit, evenmin als de boodschap die je me brengt.

Een mysterie van liefde is ingebouwd in de natuur. Ik vind het fantastisch. Het kloppen van mijn hart, 103.000 keren per dag, zomaar, gratis. Ik mag elke dag 20.000 maal ademen en voor de 137 kubieke meter lucht, die ik daar voor nodig heb, wordt me nooit een rekening aangeboden.

Ik had wat radijsjes gezaaid. De zaadjes waren zo klein en zo fijn. Ik kon ze nauwelijks tussen m'n vingers houden. Ik ging slapen. Ik stond op. Het regende. De zon scheen. Ik deed m'n werk en ik vergat de radijsjes.
Maar drie weken lang was er iemand mee bezig geweest. Iemand had de radijsjes in de schoot van de aarde met liefde ontvangen en gevoed. Nu waren ze dik. Wel 500 maal zo dik als de zaadjes die ik in de grond had gelegd. Wekenlang hebben we genoten van heerlijke verse radijsjes.

Een plant is meer dan een chemische fabriek. Een plant overtreft alle chemische fabrieken en laboratoria ter wereld. Ze levert prestaties die niet na te bootsen zijn. De plant speelt de meest ingewikkelde chemische reacties klaar en men weet nog lang niet hoe die reacties verlopen.

Ik heb in m'n leven veel mensen ontmoet en me dikwijls afgevraagd of ik een mens zou kunnen vinden, die me een grassprietje maken kan. Ik vond wel mensen, die me verklaren konden hoe een grassprietje ontstaat, hoe het is samengesteld, en ook mensen, die een grassprietje konden namaken, maar dan was het altijd een dood grassprietje.

Een grassprietje kan nooit heel de lente groen en fris maken maar is een onverwoestbaar teken van hoop want het slaagt erin door een laag asfalt te groeien naar het licht.

We moeten nieuwe wegen gaan:
De weg van de graankorrel!

Elke graankorrel is een rijke belofte, hij draagt een hele wereld in zich. Hij draagt de weelde van het bloeiend koren over goudgele velden en schuren vol graan, het brood voor de mensen.

De graankorrel is als het gebed van een mens in de nacht. Hij levert zich over aan onbekende machten in de zachte en warme geborgenheid van moeder aarde waar hij in een stille omhelzing sterven gaat om in vruchtbaarheid open te barsten tot nieuw leven.

De graankorrel. Het grote mysterie van leven en sterven. Stilte. Eenvoud. Verborgenheid. Hij levert zich over. Hij kent de donkerte van de aarde. Hij voelt de warmte van de zon. Hij drinkt de zaligheid van de regen. De graankorrel ziet nooit de aar maar hij gelooft erin. De weg van de graankorrel is de weg van ieder mens om tot volle ontplooiing te komen.

Is het je nooit opgevallen dat in de natuur alles zijn weg zoekt naar het licht? Het kleinste zaadje in de donkerte van de aarde groeit naar het licht. Elke boom tot in het diepste woud steekt zijn takken uit naar het licht. Elke bloem reikt elke dag haar kelk naar de zon.

Alleen de mens heeft zich afgekeerd van het licht. Hij heeft het licht, dat in ieder mens vanaf zijn ge-

boorte is aangestoken, gedoofd. De mens is kromge-
groeid naar de materie toe, vergrijsd met de grijze
materie, in een kleurloos en zinloos bestaan. Aan de
basis van zijn levenswijze ligt een vervuld zijn van de
materie. De westerse mens is vermaterialiseerd tot in
zijn denken toe, in een ziekelijke overwaardering
van geld en bezit, van macht en rijkdom.

Wat leeft, zoekt naar het licht.
Wat sterft, kruipt in het duister.
Waarom leven vandaag zoveel mensen in de
nacht?

Er waren eens twee bijen. Ze zaten zowat in de zon
voor de ingang van een korf. Er had lange tijd een
hevige storm gewoed. Een domme storm die met geweld tegen alles aansloeg en zo de wereld wilde veranderen. En hij had alle bloemen van de bomen ge-
waaid en de wereld was een woestenij. ,,Wat wil je
nog vliegen'' zei de ene bij. ,,Het is allemaal een grote rotzooi. Wat kan een bijtje daar aan doen''. Ze zat
er troosteloos bij. ,,Bloemen zijn sterker dan de
storm'' zei die andere bij. ,,Er moeten nog ergens
bloemen zijn en ze hebben ons nodig om bevrucht
te worden. Ik ben weg''.

Jaren geleden kreeg ik een schilderij heel teer geschilderd door een jonge man. Op zekere dag had hij onze wereld gezien als in een visioen en schilderde de ondergang van onze planeet. Een fascinerend beeld. Om koud van te worden. In verre luchten branden de steden van de rijken. Er is een grote barst in de aarde. Vier kleine magere mannen dragen in een ijzige gelatenheid uit de stad van de armen aan de armoehutten voorbij een doodkist naar die barst toe. Rechts huilt de wanhoop in een geknielde vrouw met stomparmen naar de hemel. In het midden is er een illusie van hoop, een bloem, maar uit die stengel is een heel stuk weggesneden. Het is de laatste bloem die sterft.

Als we doodarm van welvaart en comfort ontdaan op de puinhoop van onze beschaving zitten, maar in ons hart nog kunnen geloven in het licht en in de liefde van mensen voor mensen, dan zal de bloem genezen. We zullen het stuk, dat ontbreekt, terug in de stengel zetten. En waar één bloem weer bloeien kan zullen op een dag duizend bloemen staan.

VIII

Dromen van een nieuwe wereld

Een wereld, een land,
waar niemand gebrek lijdt,
waar mensen dagelijks lief
en leed delen, waar mensen
als noten zijn van eenzelfde
lied, elke noot met haar
eigen klank op het
onuitputtelijk thema van
menselijke vrede en
vriendschap!

Een wereld, een land,
waar alles weer kleiner
wordt op maat van de
mens, met ambachten en
kleine winkeltjes, waar
hartelijkheid het huis vult
en mensen weer menselijke
warmte vinden, waar men
lacht in de straten en
kinderen laat spelen,
waar gezonden en zieken,
validen en minder-validen,
jonge mensen en bejaarden
elkaar weer kunnen
herbergen en geborgenheid
geven!

Een wereld, een land,
waar rijken hun rijkdom
verzaken om hun hart
terug te vinden, waar
menselijke belangen
voorrang hebben op
politieke en financiële
belangen, waar ruimte is
voor het lied van de
natuur, voor een kermis en
een fanfare, een moppen-
tapper en een clown, waar
mensen gelukkig kunnen
zijn met een geluk, dat
gratis is!

Een wereld, een land,
met een
menselijk gezicht,
het gezicht
van de liefde!

Als de lichten van de mensen uitgaan en het lawaai
van de wereld stilvalt, dan komen de sterren en hoor
je weer de stilte. Er zijn 'sterren' in de nacht, die we

nooit gezien hebben ! Misschien als het nog donkerder wordt zullen we ze zien en zullen ze ons iets zeggen over de uiteindelijke doorbraak en de definitieve zege van het licht. Dan is er hoop, dan is er uitkomst omdat je weer naar boven kunt kijken.

*Als de krisis alles verduisterd heeft
zullen de kinderen van het licht
de sterren aansteken.*

Mensen wijzen mensen naar het licht, naar een nieuwe levensstijl. Mensen, die zich bevrijd weten van hebzucht en haat. Mensen, die niet langer geloven in de loop van het geweer. Mensen, die met weinig tevreden zijn en tijd hebben voor dingen, die geen geld opbrengen. Mensen, die geen paleis nodig hebben om als prinsen te leven en geen dikke portefeuille om samen te feesten. Mensen, die bloemen zien, die vogels horen fluiten, die kunnen spelen als een kind en in een zetel in slaap vallen. Lieve mensen met veel licht in huizen en straten, in dorpen en steden.

We hebben nood aan een nieuwe lente, aan een geestelijke lente. Het meisje, dat me schrijft al dood te zijn, omdat ze geen zin meer heeft om te leven. De man die geen vrede meer vindt bij zijn vrouw en kinderen. De vrouw, die aan zelfmoord denkt, omdat er niemand is, die haar nodig heeft, voor wie ze leven kan. De verslaafde aan verdovende middelen, die geen uitkomst meer ziet. De jeugd die stikt in rokerige drink- en danslokalen met een lawaaierige jukebox. De mensen met een leeg hart en een verward gemoed in een wervelwind van stromingen en in een draaikolk van dwaze begeerten.

De hopelozen, de vreugdelozen, die hun plezier kopen als de benzine van hun auto. We hebben de welvaart geproefd en we zijn zat en verdwaasd. We moeten opstaan. We moeten verrijzen, nieuw worden met nieuwe frisse gedachten en een nieuw hart. Dit is mogelijk. Niet met een apotheek van pillen, poeders en tabletten, maar met de hulp van die mysterieuze krachten, die diep in ieder mensenhart sluimeren.

Menslief, als je dood bent voor elke vreugde, voor elke liefde, voor elk geluk, als je niet meer geloven kunt in jezelf en in de mensen. Probeer dan eens al het lelijke, al het bittere, al het sombere, al het duistere even af te leggen, en jezelf te zuiveren. Verrijs uit de nacht van je moedeloosheid en je levensmoeheid tot een nieuwe morgen vol zon, vol vogels en bloemen. Kom uit de winterslaap van je lusteloos bestaan tot een nieuwe lente vol nieuw licht en nieuwe mogelijkheden. Sta op en verrijs. God heeft de verrijzenis geschreven in ieder blad van iedere boom. Dus zeker ook in je arm mensenhart.

We zitten in hetzelfde bootje:
we moeten samen varen!

Alle mensen als broeders in 'n zelfde boot. Mensen die samen varen... Een fantastische droom. De zon danst aan de hemel, de vissen dartelen in de zee. Alle mensen als broeders in 'n zelfde wereldboot. Zwakken en sterken. Alle volkeren en talen en rassen. Machtigen en machtelozen. Armen en rijken. Mensen die samen varen, als broeders op de wereldzee, onder dezelfde zon, op dezelfde baren, wind mee, wind tegen, in dezelfde storm. Er zijn geen zwakken meer, geen machthebbers meer, niemand wordt meer over boord gegooid, geen mens meer in het vooronder om te sterven van de honger. Er is geen oorlog meer rond de commandobrug. Zangers lopen over het dek met 'n lied. Iedereen is veilig en geborgen aan boord. Een fantastische droom.

Waarom moest ik ontwaken en zag ik een zwaar ge-
havende boot op drift, met een ontregeld kompas?
Waarom hoorde ik idealisten en profeten wanhopig
roepen om een 'hart in de boot'.

Wat niet uit het hart komt
zal een ander hart niet raken.

Kijk in de spiegel eens naar je eigen gezicht. Je
woont achter je gezicht. Je gezicht moet de open en
eerlijke spiegel zijn van je binnenkant. Als je gezicht
geen glimlach verdragen kan gaat er iets fout aan je
binnenkant en is je hart ernstig ziek. Een koud gezicht komt uit een koud hart. Mensen met zure gezichten verzuren het leven.
Genees je hart. Glimlach vanuit je hart zomaar, voor
niets. Langs de straat, aan 't loket, op kantoor, in de
wagen, op het werk. Gewoon omdat je 't fijn vindt.

Je denkt meer met je hart dan met je verstand. Je
kijkt met je hart naar de mensen en de dingen. Je ziet
alles met je hart. Het hangt af van je hart hoe je ver-
houding is met je omgeving. Wat je hart verlangt, zul
je verdedigen met heel je verstand en met al je krach-

ten. Je hart kiest de mensen en de dingen, waarvoor je leven wil. Je hart kiest de ideologie, de politiek, het systeem, waarvoor je vechten wil. Het hart verduistert of verlicht het verstand. De juiste norm voor het hart is: liefde.

Een woord dat het hart raakt, verandert het hart. Als je moe bent en je weet niet van wat, kan een woord een gebeurtenis zijn, een stuk brood voor een nieuwe start, een ster die uit de hemel valt.

Je weet, hoe klein, hoe arm, hoe eenzaam de mensen zijn, hoe teer en kwetsbaar. Je weet dat er tranen zijn, die door niemand getroost worden. Je weet dat er nauwelijks een grotere droefheid is dan de droefheid van een hart, dat door niemand wordt verstaan. Je weet dat het leven voor sommige mensen een onduldbare pijn is. Wees zachtmoedig.
Doe je best om de mensen te begrijpen, te helpen. Treed binnen in hun leed, in hun verlatenheid. Daal af van de heuvel van je zelfgenoegzaamheid, naar het dal van de mensen, die alleen zijn, en die lijden; naar de mensen in de vlakte zonder beschutting en zonder geborgenheid. Wees nooit hard, ook niet in je oordeel.

Iemand die een hindernis, al is het maar een kleine hindernis, uit de weg duwt, opdat de mensen zouden doorkunnen en verder leven, doet oneindig veel meer dan hij, die bij de hindernis staat te trompetten over het feit dat ze er is en er niet mocht zijn en dat ze opgeruimd moet worden, maar er zelf niets aan doet en anderen de schuld geeft dat de hindernis blijft liggen. Er is geen vergelijking mogelijk tussen deze twee mensen.

Ik wil dat het verandert.
Ik verander mezelf!

Als ik in de woestijn zit
heb ik kans op overleven
zolang ik blijf geloven in de oase.

Ik geloof in een nieuwe lente over de wereld, als iedere soldaat, overal waar gevochten wordt, zijn wapen in de grond steekt en naar de zichtbare of onzichtbare vijand zal roepen: ,,Menslief, ik hou van je! Ik zal je niet doden! Ik zal je geen kwaad doen!'' Ik geloof in een massa nieuwe kansen, als de rijke, zich schamend over zijn rijkdom, zal afstand doen

van macht en bezit en naar de arme zal gaan met de
woorden: ,,Menslief, ik hou van je! Vergeef me, ik
nam teveel voor mezelf! Ik zal aan jouw tafel gaan
zitten met hetzelfde brood en met bloemen van vrede in de zon''!
Ik geloof in het wonder, als in ieder huis, in iedere
straat, in elke stad, de een tegen de ander zal zeggen:
,,Menslief, ik hou van je! Ik zal alle bittere woorden
uit mijn mond nemen. Mijn hart vullen met tederheid en mijn handen met de gave van de vriendschap!''

*Ik wens je de moed van de morgenzon
die elke dag weer opgaat
over de miserie van deze wereld.*

Uit elke crisis kan een nieuwe tijd geboren worden.
De zin van elke crisis is een opnieuw geboren worden uit de onzin van een dwaas verleden. De nieuwe
tijd begint aan de basis bij mensen, die niet bang zijn,
die opkomen voor vrede, voor de vrijwaring van het
menselijk milieu en voor de terugkeer naar een natuurlijk levensritme.
We hebben nood aan mensen zoals een Franciscus
van Assisië, een arme man van God, zonder preten-

tie, een kleine man, die ook genezen kan, precies omdat hij arm is, blijmoedig en deemoedig, een kleine broeder, die iedereen en alles liefheeft en die overdrijft in de liefde.

IX

Eenvoudig mens-zijn

Het is heerlijk: 'mens' te zijn, te leven. Gewoon mens zijn, naar de lucht kijken, naar de zon, naar de bloemen, en in de nacht naar de sterren. Naar de kinderen kijken, lachen, spelen, werken, liefhebben, dromen, fantaseren, tevreden zijn: een dagelijks feest.

Kom, laten we van elk jaar maken een jaar van dé mens, de doodgewone mens. Geen jaar van de geleerde, de politicus, de astronaut. Geen jaar van de administratie, de computer, de psychiater. Geen jaar van de vrouw, geen jaar van de man, maar een jaar van de doodgewone mens op een doodgewone dag onder een doodgewone zon.

Vreugde beleven aan de kleine dingen!
Met deze sleutel
kun je altijd en overal
een beetje gelukkig zijn.

Bij het zoeken naar de diepste reden van menselijk geluk heb ik nooit het geld gevonden, het bezit, de luxe, het nietsdoen, het profiteren, het feesten. Bij gelukkige mensen vond ik aan de basis altijd een die-

pe geborgenheid en een spontane vreugde om kleine dingen en een grote eenvoud.

Langs brieven, telefoons en vele gesprekken word
ik binnengeleid in de jungle, waar mensen elkaar
vernederen, martelen en tot wanhoop brengen. De
jungle, waar de meest dierlijke instincten van de
mens hoogtij vieren. Hebzucht, machtsmisbruik,
hoogmoed, lage begeerten, jaloezie, geweld... al die
dingen, die door Jezus worden aangewezen als de
wortel van alle miserie. Als ik dan machteloos bij de
vele slachtoffers zit, die uitgeput en aan het einde
van hun krachten het leven willen opgeven, heb ik
zin om in deze geestelijke verwildering te roepen:
Mensen, keert terug naar de meest eenvoudige levenswijze, naar de meest eenvoudige dingen van het
leven, naar tevredenheid, goedheid en vriendschap.

*De gewone eenvoudige mensen zijn de enige
longen, waarlangs onze wereld nog ademen kan.*

Gewone mensen. Wondere mensen. Mensen,
waardoor een stroom van liefde in stilte over de we-

reld gaat. Zij zijn de oasen in onze woestijn. Zij zijn
de sterren in onze nacht.

Verliefdheid is een wonderlijk gevoel als een lente
in je hart. Alles wordt anders. Alles krijgt kleur. Als je
verliefd bent wordt alles mooi en zonnig omdat je
voor de helft blind bent geworden, blind voor de
kwade, vervelende kanten van het leven.
Er zijn vele soorten verliefdheden maar er is één verliefdheid, die we in onze gecompliceerde, gepsychi-
atriseerde, probleemzware samenleving meer dan
ooit nodig hebben: de verliefdheid op gewone alledaagse dingen.
De ontdekkingen van de laatste tijden zijn geen ontdekkingen van wijsheid, maar ontdekkingen van
snelheid, die je geen stap vooruit helpen naar je geluk. Ontdek met mij weer de gewone dingen, de
simpele charme van de vriendschap, een paar bloemen voor een zieke, een open deur, een gastvrije tafel, mosselen eten of 'n gewone haring, in een luie
stoel liggen en naar de lucht kijken, een handdruk,
een glimlach, de stilte in een kerk, de tekening van
een kind, het opengaan van een bloem, het fluiten
van een vogel, een rij populieren, een beek, een
berg, een koe... Het leven wordt een feest, als je kunt
genieten van gewone, alledaagse dingen.

*Handenarbeid is het meest eenvoudige,
het meest natuurlijke en efficiënte middel
om mensen geestelijk te genezen.*

God heeft mensen gemaakt voor de vreugde, om te genieten van het leven. Wandelen in de vrije natuur. Werken met je handen. Eten als je honger hebt. Slapen als je moe bent. Fietsen en tuinieren. Praten met de bomen en de pieren. Fluiten voor de vogels en op een bombardon spelen voor de vissen. Je krijgt nieuwe ogen voor het wonder om je heen. Je zult minder verbruiken maar meer en bewuster genieten. Je proeft de weelde van vers gebakken brood. Een glas helder water kan een feest zijn. Genieten is een zegen. Met weinig tevreden zijn en veel genieten is de kunst en het geluk van de echt vrije mensen.

Als bomen en planten op een morgen de zon voelen beginnen ze te leven. Als mensen op een morgen het hart van een medemens voelen, komen ze tot leven. Onder je huid zit ergens een engel te wachten met een boodschap van goedheid en liefde voor mensen op aarde. Laat hem aan het woord in je daden.

De zon komt op in ieder goed mens
die over de wereld gaat.

Een goed mens is als een klein licht dat wandelt door de nacht van onze beschaving en op zijn weg gedoofde sterren weer aansteekt.
Het goede dat mensen in vriendschap en liefde aan mensen doen ligt helemaal buiten de grote wereld van de competitie en de efficiëntie. Het kan niet gemeten worden, niet in statistieken vastgelegd.
Het is als een onzichtbare dieperliggende warme golfstroom, die je voelt gaan langs de kusten van een wereld, waar het te lang gevroren heeft tussen mensen.

Leven
is mensen en dingen
omhelzen
en weer loslaten
om ze te laten groeien en bloeien
voor Gods aanschijn.

Leven
is dankbaar zijn

voor het licht en de liefde
voor de warmte en de tederheid
in mensen en dingen
zomaar gegeven.

Leven
is alles laten zijn
en zien als een gave van God.
Niets en niemand bezitten
en juichen om elke ster
die uit de hemel valt!

*Een vriend in je leven
is als brood en wijn.*

Een vriend. De hand van een mens, die met je mee
wil gaan, een tijdlang dezelfde weg. Je bent niet
meer alleen. Twee vrienden kijken niet zoveel naar
elkaar, ze kijken samen verder. Ze zoeken niet elkaar, ze zoeken samen wat ieder nodig heeft. Vrienden leggen nooit beslag op elkaar, anders doden ze
de vriendschap. Eis je alles van de vriendschap, dan
sluit ze je op in jaloezie en isolement.

Een echte vriend roept je op om zelf te maken van je leven, wat jouw leven is. Daarom zal een goede vriend je nooit afhouden of afleiden van je eigen richting, je eigen roeping.

Van echte vrienden mag je verwachten dat ze je niet loslaten, noch in goede, noch in kwade dagen. Ze blijven je nabij in vreugde en verdriet, in sterkte en zwakheid. Voor buitenstaanders moet je veel verborgen houden. De buitenwereld duldt geen zwak moment. Maar de nabijheid van een vriend maakt het mogelijk eerlijk te blijven.

Je kunt alles doorstaan en doorleven, als er maar een vriend naast je staat, ook al kan die niets anders doen dan een woord zeggen of een hand uitsteken.

Een vriend in je leven is als brood en wijn, een weldaad.

Een vriend in je leven is de krachtigste troost in elke nood.

Een vriend is echt menselijke goedheid, waarin je een teken van goddelijke goedheid voelt.

Laat je niet ontmoedigen. Wordt een goed mens, een heel goed mens, dan wordt dat klein stukje we-

reld waar je zelf leeft en werkt toch al een beter stukje wereld.

Kleine mens, voor mij ben je groot!
Je hebt handen om te geven.
Je lacht en je houdt van mensen.
Je bent gewoon, en daarom ben je groot.

Om gelukkig te zijn in deze wereld vol comfort,
welvaart en verwaandheid missen we één ding: de
eenvoud! Kom met je twee voeten elke morgen op
deze goede aarde en zeg: ,,Lieve, mooie morgen, ik
ben blij, dat ik er ben, dat mijn huis een dak heeft,
dat de zon er is en dat ik van de mensen hou in mijn
kleine paradijs, dat ik werken mag en dat ik geen slee
van een auto nodig heb en geen pelsmantel om op
straat te komen!''

Een goed mens is als een bloem die elke dag in de
zon bloeit, al haar pracht ontvouwt en 'dank' zegt,
wanneer een kleine dauwdruppel op haar blaadjes
valt.

Als je alleen maar aan de buitenkant leeft, alleen maar interesse hebt voor je façade, je make-up, je goede naam, dan hangt je geluk aan de slinger van uiterlijke wisselvalligheden, dan ben je vandaag gelukkig en morgen ongelukkig, vandaag goedgezind en morgen moedeloos. Ga binnen bij jezelf. Doe iets aan het 'interieur' van je hart. Daar leven de gevoelens en verlangens die je in verwarring brengen of mateloos verblijden.

Als je nog eens 'vijf minuten' tijd hebt, weet je wat je dan moet doen? Eens nadenken! Maak het eens stil om je heen. Zet je radio, je muziekdoos af. Doe je teevee, je lichtbak uit. Sluit je illustraties, je kranten, je tijdschriften. Maak het eens stil om je heen, vul je innerlijk met stilte en voel de polsslag van je eigen hart.

Wie de wereld wil verwarmen
moet een groot vuur in zich dragen.

Je kunt niet leven zonder troost. Troost is echter geen alcohol, geen slaappil, geen spuit, die je slechts even verdoven, om je daarna in een nog zwartere

121

nacht te storten. Troost bestaat niet in een vloed van woorden. Troost is als een milde zalf op 'n diepe wonde. Troost is als een onverwachte oase in een grote woestijn, die je weer doet geloven in het leven. Troost is als een zachte hand op je hoofd die je tot rust brengt. Troost is als een zacht gelaat vlakbij van iemand die je tranen begrijpt, die luistert naar je gemarteld hart, die bij je blijft in je angst en je vertwijfeling en die je een paar sterren laat zien.

Laat ons een oase zijn
waar men nog enthousiast is over het leven,
over elk leven, ook over het leven
dat heel veel moeite kost!

We hebben de wereld explosief gemaakt, met een nucleaire kracht voldoende om alle leven op aarde meer dan 10 maal te vernietigen. We hebben de wereld vergiftigd: dode vissen in dode waters, stervende bomen in stervende wouden. We hebben roofbouw gepleegd op de grondstoffen die eeuwen de tijd kregen om zich in de schoot der aarde te vormen. We hebben in de rijke landen een teveel aán voedsel en de armen lijden honger. De wereld is een woestijn geworden. Wie kan onze wereld redden?

Niet de generaals, de politici of de technocraten! De
wereldwoestijn kan alleen gered worden door oase-
mensen. Mensen met een nieuw bewustzijn voor de
waarden die ons door de technisch-wetenschappe-
lijke vooruitgang ontnomen werden. Geen andere
mensen, maar veranderde mensen. Mensen die een-
voudiger, tevredener, menselijker leven. Mensen,
die oase-mensen zijn midden in de wereldwoestijn.
Oase-mensen maken geen revolutie. Oase-mensen
zijn de revolutie.

Waar één bloem weer bloeien kan,
zullen op een dag duizend bloemen staan.

OVER PHIL BOSMANS
EN ZIJN BOEKEN

Niet alleen in zijn boeken maar ook in zijn werk voor de 'Bond Zonder Naam' (de organisatie die alle mensen, van welk geloof, beroep of herkomst dan ook, in hun velerlei noden probeert te helpen), is Phil Bosmans steeds weer getuige van zijn inspirerende boodschap: in deze droeve wereld, met machteloze en uitgeputte mensen, kan het nog anders.

De oorzaak van het uitzonderlijke succes van Bosmans ligt erin dat hij naast zijn heldere diagnose van de ziekten van deze tijd ook een oplossing biedt: zijn korte beschouwingen over het leven van alledag maken duidelijk dat het leven de moeite waard is.

De oplagen van zijn boeken bewijzen dat de behoefte aan zijn boodschap groot is. Van *Menslief, ik hou van jou*, verschenen in 1972, werden reeds meer dan 630.000 exemplaren verkocht. Voeg daarbij nog de 950.000 exemplaren van de Duitse oplage, benevens de 10 vertalingen, dan is de totale oplage van dit boek zeker al bij de twee miljoen.

Na deze best- én long-seller verscheen van dezelfde auteur *Bloemen van geluk moet je zelf planten* (Spreuken van de Bond Zonder Naam) waarvan nu reeds 20 drukken verschenen (oplage: 265.000). En ook het volgende boek van Phil Bosmans, zes jaar geleden gepubliceerd onder de titel *In liefde weer mens worden*, is alweer onderweg naar de 160.000 exemplaren.

Eind 1983 verscheen *Ja! Alleen de optimisten zullen overleven*, een boek waarin Phil Bosmans aantoont wat gewone mensen kunnen ondernemen om een nieuwe wereld te bouwen.

Naast deze vijf boeken verscheen ook nog het Luisterboek *Vergeet de mooie dagen niet*, een cassette met een bloemlezing van Bosmans' mooiste teksten, door hemzelf voorgelezen.

Phil Bosmans schrijft zelf over zijn teksten: ,,Ze werden geschreven om mensen te helpen met een woord, een steun, een troost. Ze werden in de loop van de jaren geboren in een diepe pijn om zoveel lijden, nood en wanhoop. Ze groeiden uit een dagelijkse, dikwijls bewogen, konfrontatie met de fundamentele onmacht van mensen, om in deze wereld een beetje gelukkig te zijn'' (in *Kruispunt,* maart 1983).

De uitgever.

C.I.P. KONINKLIJKE BIBLIOTHEEK ALBERT I

Bosmans, Phil

Zomaar voor jou: vrede en veel goeds / Phil. Bosmans. -
Tielt: Lannoo, 1986. - 128 p.: ill.; 18 cm.
ISBN 90-209-1401-4
SISO 240
UDC 24
NUGI 614
[340442]